Planète rebelle

Fondée en 1997 par André Lemelin,
dirigée par Marie-Fleurette Beaudoin depuis 2002
6742, rue Saint-Denis, Montréal (Québec) H2S 2S2 Canada
Téléphone : (514) 278-7375 – Télécopieur : (514) 278-8292
Adresse électronique : info@planeterebelle.qc.ca
Site Web : www.planeterebelle.qc.ca

Recherche et adaptation des contes : Pascale Desbois
Illustrations : Frédérique Lafortune
Idée originale : Guylaine Picard, Radio Canada International
Révision : Janou Gagnon
Correction : Marie-Claude Gagnon et Corinne de Vailly
Conception de la page couverture : Tanya Johnston
Mise en pages : Tanya Johnston
Impression : Imprimerie Gauvin ltée

Les éditions Planète rebelle bénéficient des programmes d'aide à la publication
du Conseil des Arts du Canada (CAC), de la Société de développement des entreprises
culturelles du Québec (SODEC) et du « Gouvernement du Québec –
Programme de crédit d'impôt pour l'édition de livres – Gestion SODEC ».

Distribution en librairie :
Diffusion Prologue, 1650, boul. Lionel-Bertrand
Boisbriand (Québec) J7H 1N7
Téléphone : (450) 434-0306 – Télécopieur : (450) 434-2627
Adresse électronique : prologue@prologue.ca
Site Web : www.prologue.ca

Distribution en France :
Librairie du Québec à Paris, 30, rue Gay-Lussac, 75005 Paris
Téléphone : 01 43 54 49 02 – Télécopieur : 01 43 54 39 15
Adresse électronique : liquebec@noos.fr

Dépôt légal : 4e trimestre 2003
Bibliothèque nationale du Québec
Bibliothèque nationale du Canada
ISBN : 2-922528-42-1

Pᴀʀᴜ ᴅᴀɴs ʟᴀ ᴍÊᴍᴇ ᴄᴏʟʟᴇᴄᴛɪᴏɴ

Gourmandises et diableries
Contes adaptés et racontés par Renée Robitaille
Illustrés par Éloïse Brodeur
Planète rebelle, Montréal, 2003.

Contes traditionnels du Canada

Adaptés par Pascale Desbois · Racontés par Stéphanie Vecchio
Illustrés par Frédérique Lafortune

Une idée originale de Guylaine Picard
Radio Canada International

Collection « Conter fleurette »

CONTES
TRADITIONNELS
DU CANADA

Adaptés par
Pascale Desbois

Illustrés par
Frédérique Lafortune

Une idée originale
de Guylaine Picard

RCI ● RADIO CANADA
INTERNATIONAL

Table des matières

OUVRAGES PUBLIÉS PAR CÉCILE GAGNON

Mille ans de contes Québec, **tomes 1 et 2**
Éditions Milan, Toulouse, 1996 et 2001.

Contes traditionnels du Québec
Éditions Milan, Toulouse, 1998.

Le bossu de l'île d'Orléans
Soulières éditeur, Saint-Lambert, 1997.

Petits contes de ruse et de malice
Les 400 coups, Montréal, 1999 et 2001.

La fille du roi Janvier
Éditions Pierre Tisseyre, Montréal, 2002.

Avant-propos

Des contes traditionnels...

Des contes traditionnels, qu'est-ce que ça veut dire ?
Cela signifie que ce sont des histoires qui durent depuis longtemps et qui valorisent certaines coutumes et traditions aujourd'hui disparues.

En effet, nos histoires de bûcherons, entre autres, renvoient à une époque précise où les hommes partaient tout l'hiver couper du bois dans les forêts. Avez-vous remarqué que dans nos contes traditionnels, on ne rencontre ni voitures ni autoroutes ? La vie quotidienne tourne autour du village, des champs, de l'église ; les animaux sont très présents. Et pourtant, comme les gens nous ressemblent ! Ils aiment, ils haïssent, ils jouent des tours comme les Québécois d'aujourd'hui.

Dès la fin du XIXe siècle, on a commencé à recueillir les contes et les chansons qui constituent notre patrimoine. Des folkloristes comme Marius Barbeau et Gustave Lanctôt les ont répertoriés ; des écrivains, comme Louis Fréchette, Honoré Beaugrand et Pamphile Lemay, les ont transcrits et publiés dans des journaux. De la facture orale originale, nos contes sont passés au domaine littéraire, puis se sont mis à voyager d'un bout à l'autre du pays.

C'est dans toutes sortes d'archives et de recueils qu'on retrouve les contes d'autrefois. Leur parlure est parfois étrange et certains passages nous semblent peu compréhensibles. C'est donc aux conteurs et aux écrivains d'aujourd'hui de les actualiser, de les faire revivre pour les transmettre aux jeunes oreilles avides qui ne demandent pas mieux que de se faire raconter comment est né notre monde à nous, au Canada français. C'est justement le travail que je fais depuis bon nombre d'années.

Les contes que vous entendrez et lirez dans ce recueil mettent en évidence d'anciennes manières de faire et proposent de belles interprétations, à la façon amérindienne, de la naissance de certains animaux. Le merveilleux y côtoie le réel, et l'humour est toujours présent. Que peut-on désirer de mieux ?

Cécile Gagnon

LA BOURSE DU COQ

adaptation d'un conte traditionnel de France

Il était une fois un vieux et une vieille. Ils passaient leurs journées à se chamailler. Vous comprenez, ils étaient très pauvres ! Tout ce qu'ils possédaient, c'était un vieux coq…

Un matin, le coq gratte la terre avec ses ergots. Il trouve des sous enfouis dans la terre. Quand la vieille voit ça, elle cache les sous, car elle ne veut pas que son mari les voie. Mais le coq, lui, voit tout !

Quand le mari rentre du bois, le coq monte sur la fenêtre et se met à chanter:

— Donnez-moi mes sous ! Donnez-moi mes sous !

Le mari demande à sa femme si elle sait ce que ça veut dire. Elle lui répond:

— Ce coq-là est aussi fou que toi ! Va donc le porter dans la forêt. On va en être débarrassés.

Le mari n'est pas content de se faire dire qu'il est fou, et la querelle recommence. Le vieux déclare:

— Si je suis fou, je m'en vais et j'emporte le coq !

— Pas question, dit la vieille. Il faut le séparer en deux parties égales.

Elle coupe donc le coq en deux avec un grand couteau. Elle garde le derrière pour se faire un bon ragoût. Le vieux part avec la tête et le cou. Mais comme le coq sait parler, le vieux ne veut pas le faire cuire. Il lui fabrique un derrière avec un morceau de toile qu'il remplit de paille, et il l'emporte comme ça avec lui.

Il marche de village en village durant tout l'été, comme un vagabond, avec son coq au derrière de paille. Mais quand l'automne arrive, il décide de retourner chez lui. Il se dit qu'avec le froid qui s'en vient, il vaut peut-être mieux endurer les railleries de sa femme. Il reprend la route avec son coq sous le bras.

Tout à coup, il voit venir un essaim d'abeilles. Les abeilles parlent au coq :

— Notre bon coq, l'hiver s'en vient ; veux-tu nous amener avec toi ?

— Bien sûr, répond le coq. Montez dans mon derrière de paille et vous serez au chaud.

Les abeilles entrent dans le derrière du coq et le vieux reprend sa marche.

Quand il arrive chez lui, il dépose le coq dans la grange. À la maison, sa femme est de fort bonne humeur. Elle invite même son mari à rester avec elle. Ils ont l'air réconciliés mais…

Le lendemain matin, le coq monte sur la fenêtre et se met à chanter :

— Donnez-moi mes sous ! Donnez-moi mes sous !

La vieille entre dans une colère terrible.

— Comment ? Tu as ramené ce coq enragé !

Et elle est tellement fâchée qu'elle prend le coq dans ses mains. Elle s'apprête à lui tordre le cou. Mais le coq se met à parler :

— Abeilles, abeilles, venez à mon secours si vous voulez passer l'hiver au chaud.

Les abeilles sortent tout de suite. Elles poursuivent la vieille et la piquent. Finalement, la vieille dit au coq :

— Ça suffit ! Je vais te donner tes sous.

Le coq fait tout de suite rentrer les abeilles dans son derrière de paille. Quand la vieille lui donne ses sous, le coq parle pour la dernière fois :

— Je vous donnerai les sous, à ton mari et toi, mais à une seule condition : vous allez arrêter de vous chamailler et, ainsi, chacun aura toujours sa part d'argent.

Depuis ce jour-là, le coq n'a plus prononcé un seul mot.

ALEXIS LE TROTTEUR

adaptation d'un conte du Saguenay

Alexis Lapointe est né à La Malbaie en 1860. Il avait treize frères et sœurs. Ni fou ni génie, il était un petit garçon turbulent, mais qui savait rendre des services.

Dès son jeune âge, il avait développé un goût pour les chevaux. Il adorait faire la course avec les autres enfants. Avant de courir, il se fouettait les jambes en criant : « Hue ! Hue ! »

Quand il a été un homme, il est devenu constructeur de fours à pain. Et il continuait ses prouesses. Il fallait le voir se fouetter les jambes avant de piétiner la glaise de ses fours à pain ! Le soir, il parcourait les veillées pour danser, et il se rendait même utile en allant chercher le courrier dans un dépôt à trente kilomètres du village.

Un jour, il se trouvait sur le quai de La Malbaie avec son père qui attendait le bateau pour Bagotville. Le bateau quittait le quai

à onze heures et arrivait à Bagotville à vingt-trois heures. Alexis voulait embarquer avec son père qui, lui, ne voulait pas l'amener. Alors Alexis lui a dit :

— Quand vous arriverez à Bagotville, je vous attendrai sur le quai.

Eh bien, lorsque le bateau accosta à Bagotville, qui, pensez-vous, attendait sur le quai ? Alexis, en personne ! Il avait couru la distance de 146 kilomètres en moins de douze heures !

On se demande encore d'où lui venait cette extraordinaire facilité à courir. C'est vrai qu'il s'entraînait sans cesse en sautant, en dansant et en pirouettant. Mais le vrai secret d'Alexis Lapointe, c'est qu'il se prenait vraiment pour un cheval… Quand on lui lançait un défi à la course, il répondait :

— Tu ne peux pas courir plus vite que Poppé !

Poppé, le cheval du nord, c'était lui.

LE GRAND SERPENT DE MER
adaptation d'une légende de Havre-Saint-Pierre

Le grand serpent de mer ne sortait de l'eau que quand il faisait froid. Il aimait se chauffer au soleil sur les glaces. L'été, il restait au fond des eaux, là où il fait plus sombre et plus frais. Son lieu de séjour préféré était l'embouchure du Saint-Laurent, et c'est autour des îles et sur les rives de la Côte-Nord qu'on l'aperçut le plus souvent. On dit que les pêcheurs de morue et les chasseurs de phoques l'avaient alors souvent rencontré.

Ce grand serpent fabuleux mesurait cinquante mètres de long et un mètre de large. Il sautait hors de l'eau, tout droit dans les airs. Sa tête montait jusqu'à une vingtaine de mètres de hauteur, et il se laissait ensuite tomber à plat sur l'eau.

Un jour de 1884, des pêcheurs se noient par beau temps. Jos Gallant et Léo Leblanc, deux chasseurs de phoques, trouvent le bateau des pêcheurs. Il est coupé en deux, broyé contre un gros rocher. Jos et Léo pensent la même chose : le grand serpent de mer est passé dans les parages.

Sur le chemin du retour, ils voient l'eau frémir à quinze mètres de leur bateau. Puis, l'énorme queue sort de l'eau, ensuite le dos, et finalement la tête ! Les mâchoires du monstre sont grand ouvertes. Sa gueule mesure au moins trois mètres de hauteur. Mais ses yeux sont les plus monstrueux… Ils sont énormes et d'une malice à faire trembler !

Dans un éclair d'esprit, Jos prend son fusil pour tirer la bête. Le serpent se dresse alors le plus haut qu'il peut. Il ne bouge pas d'un centimètre.

Il garde la gueule ouverte, prêt à attaquer les chasseurs qui s'approchent de lui. Mais ceux-ci s'éloignent bientôt… ils ne sont pas équipés pour une pareille chasse !

De retour au quai, ils racontent leur aventure aux autres pêcheurs et chasseurs. Tout le monde écoute avec des yeux grands de surprise et de curiosité. Mais certains remarquent une chose étrange : Jos dit que le serpent était noir comme les ténèbres, alors que Léo se souvient plutôt d'une peau verte avec des pois rouges !

Pour jeter la lumière sur ce mystère, on demande donc aux plus vieux pêcheurs du village s'ils avaient déjà vu le grand serpent de mer. Plusieurs l'avaient aperçu. Mais chacun répondit cependant : « Si d'autres me racontaient une telle apparition, je ne les croirais pas moi-même. »

LE PREMIER ÉTÉ SUR LA TOUNDRA

adaptation d'un conte amérindien

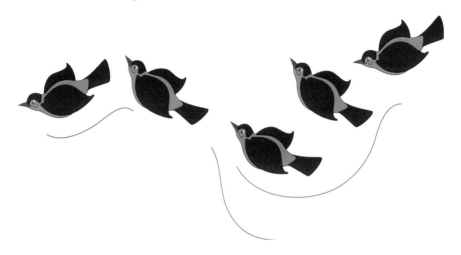

Au commencement du monde, le Grand Nord ne connaissait pas l'été. L'hiver durait toute l'année.

Un jour, le vent, qui voyageait beaucoup, s'est mis à raconter aux animaux qu'il avait vu l'été :

— Loin d'ici, vers le sud, l'air est doux et chaud. Le soleil brille dans le ciel. Le sol est couvert de toutes sortes de plantes.

Les animaux de la toundra étaient bien intrigués par les paroles du vent, et ils ont commencé à lui poser mille et une questions. Alors le vent leur a révélé son secret :

— Ce sont les fauvettes qui apportent l'été. Un méchant manitou les a attrapées ; il les a ligotées ensemble et les a suspendues dans son wigwam. Il les surveille sans arrêt et elles ne peuvent pas s'évader. C'est pour ça qu'elles ne peuvent pas venir porter l'été jusqu'ici.

Les animaux ont donc chargé Thatcho, le pécan[1], d'aller délivrer les fauvettes. Il est aussitôt parti dans la direction indiquée par le vent. Il a marché pendant plusieurs jours et plusieurs nuits à travers les grandes étendues couvertes de neige de la toundra.

Puis il est arrivé dans un endroit où la neige était fondue. On pouvait voir des plaques de terre et de mousse et les arbres avaient des feuilles aux branches.

Thatcho a aperçu le wigwam du méchant manitou. Il est entré à l'intérieur et a découvert un gros paquet suspendu aux piquets du toit. Avec ses dents pointues, il a coupé la corde et les fauvettes, libérées, se sont envolées dans le ciel. Thatcho s'est tout de suite sauvé.

Quand le méchant manitou l'a vu, il s'est mis à le poursuivre en lui lançant des dizaines de flèches. L'une d'elles a transpercé la queue de Thatcho qui, d'un bond, a sauté dans le monde d'en haut. Il s'est transformé en étoile, et la lune a décidé de le garder avec elle.

Depuis ce jour, quand on voit l'étoile du Nord, on dit que c'est Thatcho qui continue sa course et que c'est grâce à lui qu'on connaît l'été dans la toundra.

---

[1]Pécan : animal de la famille des martres.

LES TROIS CONSEILS DU ROI

adaptation d'un conte traditionnel de France

Il était une fois un tonnelier et sa femme qui étaient très pauvres. Ils avaient beaucoup d'enfants, et le père ne savait plus comment il pourrait dorénavant faire vivre toute la famille. Alors, il décida de se rendre chez le roi pour offrir ses services.

Après avoir travaillé pour le roi pendant plusieurs années, le tonnelier décida de quitter le royaume pour aller se reposer auprès de sa famille. Avant de partir, le roi lui donna trois conseils : « Le premier conseil est de toujours suivre ton chemin, même si celui-ci est pénible et rocailleux, et même si celui d'à côté te semble plus facile. Le deuxième conseil est de ne jamais paraître surpris, même si l'on dit ou si l'on fait des choses étranges autour de toi. Enfin, le troisième conseil est de toujours remettre au lendemain une colère que tu sens monter en toi. »

Notre homme est parti. La route était pleine de roches. Après plusieurs heures, il arriva à une fourche. Sur le deuxième chemin, la terre était bien tapée. Mais notre homme a continué sur le chemin difficile. Un peu plus loin, il rencontra un vieillard qui lui dit que la belle route menait à un hôtel où le propriétaire finissait toujours par tuer ses visiteurs.

À la fin de la journée, le tonnelier entra dans une auberge pour manger et dormir. Dans son assiette, il y avait une tête de mort. Il mangea ce qu'il y avait autour sans poser de questions. Le lendemain, en marchant, il rencontra le même vieillard que la veille. Celui-ci lui dit qu'il avait bien fait de ne pas poser de questions puisque, aujourd'hui, c'est sa tête qu'on retrouverait sur le plateau.

Enfin, après une autre longue journée de marche, il arriva chez lui. Au loin, il vit un homme, dans la maison, avec sa femme. Le tonnelier sentit une immense colère monter en lui, mais il décida de la remettre au lendemain. Et quand il est entré dans la maison, il a été surpris et heureux de constater que cet homme n'était autre que son fils aîné qui avait grandi et qui était devenu un adulte.

Depuis, les trois conseils du roi n'ont pas cessé d'être aussi bons qu'autre-fois : toujours suivre le droit chemin, laisser dire et laisser faire, et toujours remettre sa colère au lendemain.

LA NAISSANCE DES OURS
adaptation d'un conte du Québec

On dit que c'est d'un four à pain, dans l'île Dupas, près de Sorel, que sont nés les ours...

On raconte qu'autrefois, il y avait un homme et une femme qui avaient deux petits enfants : une fille et un garçon. Les deux enfants étaient insupportables ! Ils passaient leur temps à jouer de vilains tours. Ils emmenaient les brebis manger les radis du jardin, mélangeaient le sucre au sel, ou encore changeaient les animaux de place dans l'étable. Ils s'amusaient comme des fous.

Un jour, ils grimpèrent dans un arbre en se chicanant. Pour les punir, leur mère les enferma dans le four à pain qui était dans le fond de la cour. Elle leur dit :

— Vous êtes aussi turbulents que des petits oursons !

Puis, la mère repartit et alla pétrir la pâte à pain et préparer la soupe. À marée basse, elle se rendit sur la rive pour aider son mari à transporter le poisson. Après le souper, comme il restait de la soupe et du pain, elle a dit à son mari :

— Si nos petits enfants étaient ici, ils mangeraient bien de cette soupe-là !

À ce moment précis, elle se rappela que ses deux petits étaient toujours enfermés dans le four à pain. Elle courut jusqu'au four, mais quand elle a ouvert la porte, qui croyez-vous qui en est sorti ? Deux petits oursons : une femelle blanche et un mâle noir, qui se sont mis à grogner en s'enfuyant vers la forêt.

C'est depuis ce jour-là que les ours se sont répandus sur la terre.

KUGALUK ET LES GÉANTS

adaptation d'un conte inuit

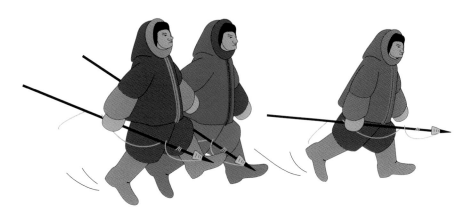

Au pays des Inuits, il y avait un géant qui faisait peur à tous les chasseurs de phoques. On dit qu'il capturait les chasseurs et les emportait dans son igloo pour les dévorer avec sa femme.

Un jour qu'il est à la chasse, Kugaluk voit le géant qui vient vers lui. Comme il ne peut pas se sauver, il s'allonge par terre, retient son souffle et fait comme s'il était mort.

Le géant s'approche de lui et l'examine attentivement : « Il est bien mort. Il est gelé dur. »

Le géant attache Kugaluk sur son dos avec de la babiche. Il commence à marcher. Kugaluk ne bouge pas, mais il ouvre les yeux pour voir où il est. Ils entrent dans un petit bois d'arbustes. Kugaluk se dit : « Si je m'agrippe aux branches, je vais peut-être arriver à ralentir le géant et le fatiguer. »

Le géant continue à marcher. Mais c'est difficile, très difficile. Il trébuche. Il tombe plusieurs fois.

Il est très tard quand il arrive à son igloo. Il dit à sa femme :

— J'ai trouvé un homme mort. On va le manger demain.

Il dépose Kugaluk dans un coin de l'igloo, laisse tomber son couteau par terre, se couche épuisé et s'endort avec sa femme. Kugaluk se lève. Il prend le couteau du géant et lui tranche la gorge. Puis, il se précipite à l'extérieur de l'igloo et se met à courir à toute vitesse sur la neige. Il regarde derrière lui : il n'y a personne.

Ouf ! Il ralentit… ! Il se croit sauvé, mais il aperçoit la femme du géant au loin. Il se remet à courir, mais ses jambes sont trop fatiguées. Elles ne veulent plus courir. La géante avance droit sur lui. Kugaluk est perdu.

Tout à coup, il se rend compte qu'il traverse un bras de mer couvert de glace brillante. Ça lui donne une idée…

Il frappe la glace avec le couteau. Une rivière bouillonnante se met à couler et barre le chemin à la géante. Elle s'arrête au bord de l'eau et crie :

— Comment as-tu traversé la rivière ?

— Je l'ai bue, répond Kugaluk en tremblant.

Alors la géante se met à boire la rivière. Elle boit, elle boit…

Soudain un bruit épouvantable se fait entendre et un épais brouillard s'étend sur toute la toundra. C'est la géante qui explose en crevant… !

C'est depuis ce jour-là que le brouillard existe. Il s'étend parfois sur la toundra, obligeant les chasseurs de phoques à rester sur place et à attendre le retour du ciel clair. Pendant ces moments-là, ils n'ont plus peur de rencontrer les géants car chacun se rappelle l'exploit de Kugaluk.

LA CHASSE-GALERIE
adaptation d'un conte de l'Île-du-Prince-Édouard

Un samedi soir, des pêcheurs de l'Île-du-Prince-Édouard et du Nouveau-Brunswick étaient encore dans leur bateau quand ils ont vu passer dans les airs des hommes qui volaient dans un canot. C'était un sorcier de l'Île-du-Prince-Édouard qui transportait les hommes en chasse-galerie jusqu'au Nouveau-Brunswick.

Les soirs de pleine lune, tous ceux qui voulaient aller veiller se rassemblaient au bord du quai. Le sorcier les attendait. Il commençait à parler, à bouger les mains, et tout le monde montait dans le canot, l'un derrière l'autre. C'est alors que le sorcier récitait la formule magique, accompagné de ses voyageurs :
« Acabris ! Acabras ! Acabram ! Fais-nous voler au-dessus de l'océan ! »
Et on pouvait les voir dans le canot qui montait tout droit dans les airs…
La chasse-galerie était partie !

Quand ils passaient au-dessus des têtes des pêcheurs en mer, on entendait un sifflement dans le ciel et on voyait le canot avancer au centre d'un trou dans les nuages. Au retour, vers minuit, c'était encore pire : on voyait la silhouette du canot et des voyageurs passer devant la lune toute ronde. Il y avait même des étincelles qui les suivaient dans la noirceur au-delà de la lune…

Un automne, Alexis Cormier a vu une chasse-galerie traverser un vol d'outardes. Cette nuit-là, on ne sait pas ce qui est arrivé aux voyageurs, mais les outardes sont tombées comme des mouches dans la barque d'Alexis !

LE CAPITAINE CHANGÉ EN GOÉLAND

adaptation d'un conte de la région de Charlesbourg

Un capitaine avait construit son bateau pendant tout l'hiver en forêt. C'était une goélette, ce voilier aux formes fines. Une nuit de printemps, il attacha des chevaux au bateau pour le descendre à la rive. Le matin, tous les habitants du village aperçurent le voilier. Ils n'avaient jamais rien vu de plus beau. Ils ont fait une fête et, le lendemain, le capitaine est parti en mer avec ses marins. Mais le beau voilier revint sans le capitaine. Il était tombé malade au large. Alors, les marins avaient jeté son corps à la mer.

Son âme resta longtemps à flotter au-dessus des vagues, puis elle s'envola de l'autre côté des nuages. Après quelques mois, le capitaine s'ennuyait de son bateau. Il se dit : « Ah ! Si au moins je pouvais revenir une heure sur la mer pour contempler mon voilier ! » Tout à coup, un oiseau aux ailes argentées est apparu devant lui. L'oiseau lui a dit :

— Je peux te transformer en goéland. Il te sera alors possible d'aller voler au-dessus de ton bateau. Mais s'il devait t'arriver quelque chose, un malheur tomberait sur ton voilier.

Le bateau était en train de voguer sur le Saint-Laurent quand un marin vit un goéland perché sur un des mâts. L'oiseau regardait les marins travailler depuis longtemps. Pour montrer qu'il était habile, le marin qui l'avait vu prit une pièce de monnaie et la lança à l'oiseau. La pièce de monnaie frappa la tête du goéland qui tomba, mort, sur le pont du voilier. Aussitôt, le vent s'est levé sur la mer et le bateau est allé se fracasser sur des récifs. Depuis ce jour-là, les marins ont l'habitude de dire qu'il ne faut jamais tuer un goéland en mer.

LE PLUS BEAU RÊVE

adaptation d'un conte traditionnel de France

C'était l'automne. Les arbres étaient habillés de leurs plus belles couleurs. Trois seigneurs étaient partis pour la chasse, accompagnés d'un cuisinier. Il les suivait discrètement en transportant sur son dos ses chaudrons, ses ustensiles et des couverts.

Toute la journée, les chasseurs avaient marché dans des sentiers pleins de boue, grimpé des collines et traversé des champs. Mais ils n'avaient tué qu'une seule perdrix. À la fin du jour, ils étaient épuisés, affamés et de très mauvaise humeur. Le cuisinier, lui, était inoccupé.

Alors, ils ont dit :

— On va garder la perdrix pour demain. Celui qui fera le plus beau rêve la mangera.

Ils ont monté une tente et se sont couchés le ventre creux. À l'aube, le premier chasseur demanda au deuxième :

— As-tu bien dormi ?

— Très bien ! J'ai rêvé que j'épousais la plus belle princesse du monde. Elle avait des joues de pêche, une chevelure éblouissante, des yeux brillants comme des diamants et un sourire à faire chavirer les cœurs.

— Ah ! C'est un beau rêve ! Moi, j'ai rêvé que j'étais le roi d'un pays. Dans ce pays, il n'y avait pas de pauvres, tout le monde s'entendait bien, personne ne se disputait. La haine n'existait pas, on ne vivait que d'amour et de gentillesse.

— Ah ! Vraiment… c'est un rêve épatant, a répondu le deuxième chasseur.

Les deux premiers chasseurs ont alors demandé au troisième s'il avait rêvé. Celui-ci s'est empressé de répondre :

— Moi, j'ai rêvé que j'étais dans le ciel, au-dessus des nuages. J'ai vu des anges danser dans le soleil. Ils étaient plus magnifiques les uns que les autres !

— Quel beau rêve ! C'est toi qui as fait le plus beau ! C'est donc toi qui mangeras la perdrix ce matin.

Mais le cuisinier qui faisait cuire des patates leur a dit à son tour :

— Moi aussi, j'ai fait un rêve, un beau rêve. J'ai rêvé que je mangeais la perdrix. Avec des oignons et du chou… un vrai délice ! Et mon rêve doit être vrai parce que, ce matin, je n'arrive pas à mettre la main sur la perdrix. J'ai seulement retrouvé le bec et les pattes.

L'histoire ne dit pas comment s'est terminée cette partie de chasse, mais je crois bien que le cuisinier a dû sortir du bois en courant, les chasseurs à ses trousses. Il doit d'ailleurs courir encore !

LE PREMIER DES TAMIAS RAYÉS

adaptation d'une légende amérindienne

Il y a très longtemps, quand le monde était encore jeune, les humains ont commencé à chasser les animaux avec des arcs et des flèches. Les animaux avaient très peur des humains. Mais un jour, un petit écureuil roux est devenu l'ami d'un garçon.

C'était pendant un hiver très froid et très venteux. Le pauvre écureuil avait mangé toutes ses provisions de graines et de noix. Il fouillait partout, mais il ne trouvait plus rien à manger. Il avait très faim. Quand le garçon l'a vu, il lui a lancé une noix.

À partir de ce jour-là, le garçon et l'écureuil sont devenus les meilleurs amis du monde. Ils se voyaient tous les jours. Le printemps a suivi, puis l'été.

Un matin, le garçon n'est pas sorti de son wigwam. Il était malade. L'écureuil était bien triste. En plus, toute la famille du garçon était malade et tous les gens du village aussi.

L'écureuil a donc rassemblé les animaux de la forêt. Tout le monde y était : le porc-épic, le renard, le castor, la belette et la mouffette. Même l'ours, ce grand grognon, s'était déplacé.

L'écureuil leur a dit :

— Les humains sont malades. Il faut les aider.

Les animaux ont crié et protesté. À travers leurs voix, on entendait le grognement furieux de l'ours :

— Comment oses-tu demander de l'aide pour ces chasseurs ?

L'écureuil n'eut pas le temps de répondre. L'ours l'avait pris dans ses énormes pattes et avait serré très fort. L'écureuil mordit la grosse patte. Surpris, l'ours lâcha prise. L'écureuil se sauva, mais l'ours avait quand même réussi à enfoncer ses griffes dans le dos de l'écureuil.

L'écureuil courut, courut. Ses blessures lui faisaient tellement mal au dos. Il croyait qu'il allait mourir. Soudain, il entendit la voix du Manitou, le Grand Esprit de la forêt du nord :

— Tu as été fidèle en amitié. Maintenant, tu vas dire aux humains comment se soigner. Va leur expliquer comment préparer ce remède : faire bouillir ensemble de la gomme de sapin, d'épinette et de pruche avec des morceaux d'écorce d'orme. Quand ils boiront ce breuvage, ils seront guéris. Pour ce qui est de tes blessures, elles vont se cicatriser. Mais elles laisseront cinq traces noires sur ton dos. Ces rayures seront des symboles de courage pour ceux de ta race. Tes enfants et leurs enfants les porteront sur leur dos. Tu n'es plus un écureuil, maintenant. Tu es un tamia.

Les humains ont écouté les conseils de l'écureuil et ils ont pris le remède. Et ils n'ont plus été malades. C'est depuis ce jour-là que, lorsqu'ils se promènent dans la forêt, les garçons et les filles n'oublient jamais d'apporter quelques noix que les tamias rayés se font une joie de venir chercher au creux de leurs mains.

LES BALEINES DE LA SAINT-JEAN

adaptation d'une légende de Rivière-Ouelle

À Rivière-Ouelle, seulement quelques familles pêchaient toutes les baleines blanches du coin. Après plusieurs dizaines d'années, elles sont ainsi devenues très riches. Mais les autres habitants n'aimaient pas ça du tout.

Un 24 juin, jour de la Saint-Jean, les pêcheurs ont attrapé une centaine de baleines. Ils ont alors décidé d'inviter leurs parents et amis des autres villages à venir célébrer avec eux, sur la rive du fleuve, la fête de la Saint-Jean.

Les gens sont arrivés vers six heures du soir. Ils ont monté leurs barques sur la rive, puis ont allumé des feux qui ont brûlé pendant toute la nuit. La musique et les danses ont aussi régné durant toute la fête… La pêche ayant été très bonne cette année-là, on décida de prolonger les festivités jusqu'au petit matin.

Soudain, la musique est devenue étrange : les musiciens ne contrôlaient plus leurs instruments, les violons jouaient tout seuls. Puis, peu à peu, une brume s'est abattue sur toute la grève. Deux grandes mains sont sorties des nuages en avançant vers les gens pour les attraper. Les pêcheurs et leurs familles ont sauté dans leurs barques pour s'éloigner. Mais les grandes mains se sont étendues sur le fleuve et ont essayé de renverser les barques. Tout le monde a remonté vers la rive et a couru vers les maisons les plus proches pour se protéger.

Aussitôt, une vague gigantesque s'est formée jusque sur la rive. Et cette énorme vague s'est emparée des ossements et des morceaux de chair des baleines et les a soulevés dans les airs. Là, une centaine de baleines blanches sont sorties de l'orage mystérieux. Avec des yeux enflammés comme les feux de la Saint-Jean, elles retournaient à la mer.

Peut-être y sont-elles encore, à errer comme des fantômes dans les profondeurs des eaux…

L'ÉTANG AUX FEUX FOLLETS

adaptation d'une légende de l'île d'Orléans, Montmorency

Quand j'étais petite, ma grand-mère racontait des histoires sur les feux follets. Elle disait que si l'on restait dehors après le coucher du soleil, on pouvait voir des feux follets sauter sur les piquets de clôtures. Il paraît aussi qu'on ne devait pas retourner la terre la nuit venue… sinon, on risquait de détruire des nids de feux follets. Les histoires de ma grand-mère ne m'ont jamais vraiment fait peur. Mais un soir, j'ai vraiment cru voir des feux follets…

J'avais sept ans. J'étais allée veiller avec ma sœur et mes frères chez ma grand-mère. Elle habitait dans le rang à l'autre bout de notre terre. On s'était tellement amusés qu'on n'avait pas vu le temps passer. Heureusement, ma grand-mère nous avait avertis qu'il était l'heure de rentrer, en ajoutant : « N'ayez pas peur. Il fait clair comme dans le jour. La lune est pleine. » Mais je vous dis qu'on n'a pas traîné sur le sentier qui traversait les champs. Ce soir-là, on trouvait notre maison bien éloignée.

Tout allait bien. Mais quand on arriva près de l'étang aux grenouilles, ma sœur s'arrêta brusquement : « Hé ! Il y a des feux follets qui sautent partout sur l'eau ! » On était paralysés par la peur. On a cessé de marcher et on s'est rapprochés les uns des autres. Il y avait un petit pont qui traversait l'étang. Il fallait bien passer dessus pour se rendre à notre maison. On s'est regardés et on s'est tous mis à courir. Comme j'étais la plus petite, ma sœur m'a prise par la main. Elle courait tellement vite que je croyais voler ! Au beau milieu du pont, on a aperçu des feux follets partout sur l'étang. On entendait aussi des cris qui résonnaient.

Quand on est entrés dans la maison, tout essoufflés, ma mère nous a rassurés. Elle nous a dit que les soirs de pleine lune, les grenouilles sautent sur l'eau en sifflant. Et les feux follets qu'on avait vus n'étaient rien d'autre que l'éclat de la lune sur leur dos !

LA CRÉATION DES OISEAUX
adaptation d'une légende mig'maq

Dans ce temps-là, il n'y avait pas d'oiseaux. Il n'y avait aussi que très peu d'animaux. Les enfants pouvaient jouer dehors pendant le temps doux. Mais le temps doux ne durait que six lunes seulement. À cette époque, les enfants n'avaient que des feuilles et des cailloux pour jouer. À la septième lune, Ours Blanc soufflait le blanc sur les arbres et Loup Hurleur faisait tomber les feuilles des branches. Les enfants ne pouvaient plus jouer. Il ne restait que des cailloux gelés.

C'était alors le moment du jeûne et du séjour dans la loge à transpirer. C'était la tradition. Après le jeûne, quand ils sortaient de la loge, les enfants prenaient le nom du premier animal qu'ils voyaient. Mais les animaux et les oiseaux se cachaient tellement il faisait froid. Et les enfants restaient sans nom pendant longtemps.

Après le passage d'Ours Blanc et de Loup Hurleur, les enfants demeuraient tristes durant plusieurs soleils. Ils n'avaient plus faim et refusaient de manger.

Un jour, une petite fille sans nom regardait les feuilles tomber. Elle était très triste. Elle décida de parler à Glouscape, le Grand Protecteur des humains :

— Toi qui fais la terre, l'eau et les petits feux qui brillent dans le ciel, fais quelque chose si tu veux que les enfants se trouvent un nom et se remettent à manger.

Glouscape l'a entendue. Et quand le mois des fleurs est arrivé, il a ramassé les feuilles tombées. Puis, il a soufflé dessus très, très fort. Les feuilles se sont soulevées et, tout à coup, des oiseaux de toutes les couleurs se sont envolés. Ils se sont posés sur les branches.

La petite fille a crié :

— Je suis Merle Chantant !

Et elle a mangé avec entrain.

LE FANTÔME DE L'ÉRABLIÈRE
adaptation d'un conte populaire de la Beauce

Au Québec, quand vient le printemps, arrive aussi le temps des sucres. Dès le mois de mars, on rouvre les cabanes à sucre, c'est-à-dire ces petites maisons construites au sein des érablières. Pendant cinq à huit semaines, on récolte la sève des érables. Puis, on la fait bouillir pour en faire le délicieux sirop d'érable.

Les cabanes à sucre sont souvent loin des fermes. C'est pour ça qu'autrefois, les fermiers partaient habiter dans leur cabane à sucre pendant toutes ces semaines. Transformer la sève en sirop d'érable n'est pas une mince affaire ! On doit faire bouillir la sève lentement. Et si on la laisse une seconde de trop sur le feu, on doit tout recommencer. C'est pour ça que les acériculteurs de l'époque préféraient passer ces longues semaines totalement seuls. Ainsi, ils n'étaient pas dérangés et ils pouvaient se concentrer sur leur méticuleux travail. Par contre, le soir venu, ils auraient bien aimé avoir de la compagnie. Car des voisins rusés en profitaient pour venir leur jouer de vilains tours !

Une nuit, Baptiste Riverin se trouvait dans sa cabane à sucre, en train de faire bouillir la sève. Tout à coup, il entendit une plainte venant de la cheminée : « Oouh ! Oouh ! » Il sortit précipitamment, mais ne vit aucune trace dans la neige, autour de la cabane à sucre. Quand il rentra, il entendit une autre fois la plainte : « Oouh ! Oouh ! » Bientôt, celle-ci se transforma en cri accompagné d'un grattement dans la cheminée.

— C'est la voix de Philémon Gamache ! Je la reconnais ! C'est sa voix !

Baptiste prit la poudre d'escampette en laissant son sirop bouillir tout seul ! Il traversa tout le bois et rentra chez lui, décidé à passer la nuit dans sa maison.

Il faut dire que notre Baptiste n'avait pas la conscience tout à fait tranquille. Son voisin, Philémon Gamache, lui avait prêté de l'argent. Mais comme il était mort au cours de l'hiver, Baptiste pensait qu'il ne devait plus rien à personne...

Le lendemain matin, avant de retourner à sa cabane, Baptiste fit un petit détour pour aller chez la veuve Gamache... peut-être valait-il mieux qu'il paye sa dette. Madame Gamache en fut très heureuse, car elle avait justement bien besoin de cet argent.

De retour à la cabane à sucre, Baptiste ralluma le feu et recommença à faire son sirop. À partir de ce jour-là, il n'entendit plus aucun bruit. Il resta dans sa cabane pendant tout le temps des sucres. Puis, quand la sève arrêta de couler des érables, il fit le ménage dans la cabane et entassa les bidons de sirop dans sa charrette.

Juste avant de partir, quand le feu fut complètement éteint, il démonta le tuyau de la cheminée. Et savez-vous ce qu'il trouva dans le tuyau ? Un gros hibou, mort !... « Oouh ! Oouh ! »

UNE FÉE VISITE LES BÛCHERONS
adaptation d'une légende de Saint-Adrien-d'Irlande

Dans les camps[1] de bûcherons, on passait les soirées à se raconter des histoires de rois, de reines et de princesses. Mais on se racontait aussi des histoires «vraies», comme des visites de fantômes aux vivants.

Joseph Ouellet était un excellent conteur. Un jour, il a raconté aux autres bûcherons les visites que faisait une grosse et grande fée blanche. D'ailleurs, plusieurs personnes au village l'avaient vue. Mais, bien sûr, plusieurs bûcherons ne l'ont pas cru :

— Tu nous racontes des histoires inventées, Ouellet !

— Je vous le dis, a-t-il répondu. Un homme qui connaît le secret peut lui commander de venir, et elle arrive aussitôt directement de son château.

Les bûcherons ont continué à le contredire et à rire de lui. Alors, il s'est tourné vers la porte et a regardé droit devant lui. Puis il a dit :

— Toi, ma vieille reine, assise sur ton trône éclatant dans ton château, avec ta couronne d'or sur la tête, viens ici rendre visite à mes amis.

Un silence pesant s'est fait dans tout le camp. Les bûcherons ont tourné la tête vers la porte. Et c'est à ce moment-là qu'une belle grande fée est apparue. Elle ressemblait à la reine Victoria. Elle portait une couronne de diamants et tenait une baguette magique dans sa main. Elle a regardé Joseph et lui a dit :

— Ne m'appelle plus jamais «vieille reine», sinon je ne bougerai plus de mon trône et je resterai dans mon château. Je suis la belle fée d'Irlande qui vient au secours des conteurs.

Le reste de l'hiver s'est passé sans problème. Les bûcherons ne se sont plus moqués de Joseph qui a pu raconter ses histoires en paix.

---

[1]Camp : cabane de bûcherons bâtie en pleine forêt.

Contes traditionnels du Canada *Crédits pour la musique*

Planète Rebelle et Radio Canada International offrent un merci tout spécial aux compositeurs, interprètes et maisons de disque qui ont permis l'utilisation de quelques extraits de leurs musiques dans le CD qui accompagne cet album:

1. **La bourse du coq**: Jean-Pierre Lachance et Magada International pour *Danse des canards* (MAGADA MAGHCD 63, album: Tamanoir)

2. **Alexis le Trotteur**: Alain Lamontagne et les Éditions de l'Île Verte pour *L'Étalon* (TAMANOIR TAM 27006)

3. **Le grand serpent de mer**: Roger Castonguay et Michel Deschênes pour *Pseudo-berceuse* (Et + Ké2, album: Amérythme)

4. **Le premier été sur la toundra**: Stephen Hatfield et le Newfoundland Symphony Youth Choir pour *Nukapianguaq* (FURIANT FMCD 46052, album: Reaching from the Rock); Nathalie Picard et les disques Lyres pour *Le message du vent* (LYRES LLL 97004, album: Les fêtes de la Nouvelle-France)

5. **Les trois conseils du roi**: Michel Faubert, Michel Bordeleau et les Éditions Mille-Pattes pour *Reel à bouche* (AMBIANCE MAGNÉTIQUE AM 21, album: Maudite mémoire); l'Ensemble Capriole et les disques SNE pour *Danses de la Renaissance* (SNE 576, album: De la musique à voir); l'Ensemble Strada et les disques Analekta pour *Chanconella Tedesca* (ANALEKTA AN 28003, album: Médiévales de Québec)

6. **La naissance des ours**: Simon Carpentier et Intermède Musique pour *The King's Jester* (INTERMÈDE INTCD 402, album: Les plus belles mélodies pour bébé); André Marchand pour *La valse du temps qui va* (SUGAR HILL SHCD 1136, album: The Orange Tree)

7. **Kugaluk et les géants**: Normand Dugas pour *Thème de Sedna* (BOULEVARD BCD 8811, album: En plaine musique); Stephen Hatfield et le Newfoundland Symphony Youth Choir pour *Nukapianguaq* (FURIANT FMCD 46052, album: Reaching from the Rock)

8. **La chasse-galerie**: François Leclerc et les disques Lyres pour *Le mariage de gueux* (LYRES LLL 97004, album: Les fêtes de la Nouvelle-France); Pierre Béluse pour *Espace pour percussion solo* (CBC RCI 652, album: Ensemble de percussions McGill)

9. **Le capitaine changé en goéland**: François Leclerc et les disques Lyres pour *Le Roi Renaud* (LYRES LLL 97004, album: Les fêtes de la Nouvelle-France)

10. **Le plus beau rêve**: Robert Léonard et les Productions UMMUS pour *Jeux sonores* (MUSIGRAPHE ÉDITIONS UMM 1001, album: Jeux sonores); Pierre-Jacques Langevin et les Disques XXI pour *Bhliadhn Ur* (XXI XXICD 21412, album: Kadou)

11. **Le premier des tamias rayés**: Kelly Mary-Murphy et les disques Amberola pour *Noël Huron* (AMBEROLA AMXCD 7102, album: Joy to the World); Florent Vollant, Pierre Duchesne et Musi Art pour *Prologue* (MUSI ART MACD 5819, album: Claire Pelletier, Murmures d'histoire); Gilbert Patenaude et les disques Atma pour *Éandé, Lulandé* (ATMA ALCD 21010, album: Voyage en Amérique française)

12. **Les baleines de la Saint-Jean**: La Bottine souriante et les Éditions Mille-Pattes pour *La valse des bélugas* (BOULEAU NOIR BNCD 2036, album: J'voudrais changer de chapeau); Pierre Béluse pour *Espace pour percussion solo* (CBC RCI 652, album: Ensemble de percussions McGill)

13. **L'étang aux feux follets**: Danielle Martineau pour *À l'âge de 15 ans* (CRAPAUDES CRAPCD 2001, album: Plouf!)

14. **La création des oiseaux**: Lydia Adams, les éditions McGroarty Music et The Bach Children's Chorus of Scarborough pour *Mi'kmaq Honour Song* (IBS 1026, album: Here's to Song)

15. **Le fantôme de l'érablière**: Benoît Reeves et Images et musiques du monde pour *La valse berçante* (MAGANES MAG 01, album: Les Maganés); Marc Larochelle et les disques Tout crin pour *Prologue* (TOUT CRIN TCDE 09002, album: Sur les traces de Poiléplume)

16. **Une fée visite les bûcherons**: Sylvain Bergeron et Dorian Recordings pour *A Jig* (DORIAN DOR 90271, album: Perceval, La quête du Graal)

Achevé d'imprimer
en février deux mille cinq, sur les presses
de l'Imprimerie Gauvin, Gatineau, Québec